開封有個包青天，鐵面無私辦忠奸，江湖豪傑來相助⋯⋯

對於很多人來說，以上這首歌絕對是耳熟能詳。

其實，早在上世紀九十年代，包青天電視劇的熱潮已經風靡中港台三地，成為一時佳話。家家戶戶聽到這首歌，就會一起坐在電視前，專心收看包青天如何用最厲害的觸覺查案，作出鐵面無私的審判，將所有壞人繩之於法。作為一個飲譽古今的清官，家喻戶曉的人物，包青天的故事絕對值得我們歌頌。

有人說，自古以來，天地間便瀰漫著正邪兩股勢力，兩股力量互相角力。在正義未得到彰顯之前，總會有邪魔奸道出來做壞事，破壞人們對正義的信心，不過只要肯執著正義，邪始終不勝正。好像「烏盆案」、「狸貓換太子」、「鍘美案」等等故事，都展示出包青天過人的智慧，而更重要的是，這些故事都讓我們知道，邪不能勝正，世事總有天理。

每個年代都需要偉大的人物，包青天正是如此的一個人。清廉、機智、聰明、不畏強權。這些性格特質都相當值得我們敬仰和學習。可以參與這次的創作，的確令我非常高興和榮幸。希望藉著今次的創作，可以讓年輕人對包青天有更深的認識吧！

凌偉駿

向來對古裝片不感興趣的我，今次竟然要製作包青天這經典故事⋯⋯

守舊
雜畫
沉悶

所以即時要將大量資料輸入腦中進行惡補⋯⋯

將資料消化後便要融入角色，從人物的角度去看每件人和事⋯⋯

但由於今次人物角色眾多，能投入到當時文化和歷史也較為深入，重新演繹時竟然對之前看法有所改觀⋯⋯

當中發現了很多新的觀點和有趣的事情，現在竟然⋯⋯

希望大家也和我一樣愛上古裝故事和這個全新作品吧！

余遠鍠

人物介紹

包青天

包拯，以清廉公正聞名於世，被後世稱譽為「包青天」。中國民間信仰傳其為文曲星轉世。善於觀察，長於判案，充滿威嚴，有著過人的計謀和查案能力。

王朝

開封四大捕快之首。有著非常厲害的易容技術，經常憑此潛入敵陣，索取重要情報和破案。性格平易近人，充滿正義感。做事冷靜，傾向用計謀解決問題，不會隨便硬碰。

馬漢

開封四大捕快之一。身藏非凡的輕功，身手敏捷，靜若處子，動若脫兔，善於追捕犯人。

張龍

開封四大捕快之一。出水能游，入水能跳，善於水性，有一身好水功，在水中游移如靈蛇閃現，水戰中幾乎必能捉住敵人。個性自信，喜我行我素。

趙虎

開封四大捕快之一。身材魁梧，聲如洪鐘，力大無窮，擅長各門各派的功夫。性格衝動莽撞，非常重情義。

青青姑娘

包拯之女。歌藝出色，心思細密，善解人意。為開封四大捕快所喜，然而她的芳心卻是屬意展昭。

公孫策

包青天的師爺，最信任的助手。尖酸刻薄，愛取笑嘲諷四大捕快。其實內心善良，恨鐵不成鋼。

目錄

「天光光，地茫茫，暗黑怪力降開封，遍地惡虎餓豺狼，唯有月亮將狼擋，救我都城殺破狼⋯⋯」幾個小朋友排成列，在一個陰森恐怖的森林附近，開心快樂地唱著歌謠。

「咦！這陣白煙真香，小明，你猜會不會有人在森林裡烤肉呢？」小芬女笑瞇瞇地說。

小明探頭向樹林看去，說：「**唔**‧‧‧‧‧‧可能吧！不過老媽子說過，這森林很危險，我們還是不要進去吧！」

「你媽媽也常常叫你不要偷吃雞腿，你還不是天天偷偷地吃？你看你的**胖肚子**！哈哈」小夫取笑道：「只有沒有膽子的人才不敢走進森林……」

小芬女說：「小夫說得對，說不定森林裡有人在開大食會呢⋯⋯走吧⋯⋯」

　　白煙徐徐由森林飄近，瀰漫於你一言我二句的三人之中。白煙氣味芬芳，好像有一股神秘魔力似的，吸引著三人。

　　「好⋯⋯好⋯⋯好香⋯⋯」起初抗拒進入森林的小明吸入白煙後，神志顯然開始有點不清：「森林⋯⋯森⋯⋯林⋯⋯」

　　「你看到嗎？森林內的大樹似乎在對著我們笑呢⋯⋯」小夫行路搖搖擺擺，頭昏腦脹，但臉上卻竟然掛著笑臉：「行進去，說不定會有一段奇妙的旅途⋯⋯」

　　「走吧，說不定樹大哥正拿著雞腿在林中等待我們⋯⋯」

森林外，三個小朋友的身影愈拉愈長，

一步一步地隨著白煙進入謎一樣的森林，身影背

後，有著幾個神秘的身影……

似乎，
有一個神秘的陰謀正在醞釀……

第一章 · 黑色傳說

　　開封府，大宋最繁忙的城市，最近流傳著一首童謠，內容說：在開封府發展得最繁盛的時候，將會有一股黑色的力量降臨，將開封府搞亂，破壞所有秩序，兇惡的老虎和餓透的豺狼將會滿布城中心，致使日月無光、人心惶惶、民不聊生，可以阻止這件事發生的，就只有一個月亮！

　　這首歌謠相傳是由一個得道高僧留下來，人們對此話深信不疑，於是對所有黑色的東西都避之則吉。

芝麻、芝麻糊、黑糯米、黑豆的意頭不好，這些我們都不要再吃了！

伙頭大哥在廚房流著汗說。

唉！這個年頭，沒有人買芝麻糊吃，沒有生意，臨近過年，真不知道年關怎過！

在街頭挑著擔挑賣糖水的陳老四正考慮改賣核桃露來代替芝麻糊。

黑布、黑衣服、黑鞋，太太太太不吉利，下年潮流興迷彩，你們轉買迷彩吧！

布行老闆小鳳姐向一眾街坊太太推銷著說。

唉！有沒有人可以發明彩色的墨水啊？我已經半個月沒有發市了！

書齋老闆因為墨水是黑色而生意大減，托著頭大嘆。

後來，現代的**歷史學家**還講笑說，如果當年宋朝已發明染髮劑，可能整個開封府的人都會把頭髮染成其他顏色！

總之，幾乎除了頭髮之外，所有黑色的食物和東西，開封府的人都**避之則吉**。

這個黑色傳說輾轉流傳到皇帝耳中，皇帝知道開封府的人民擔心有惡勢力入侵，為了令百姓安心，便馬上派出了幾個最精銳的捕快，鎮守開封！

他們就是為人所熟悉的「**開封四大捕快**」了！王朝、馬漢、張龍、趙虎，他們四人各有本領，獨當一面，是捕快界的精英！

張龍

入水能游，出水能跳，擅於水性，有一身好水功，在水中游移如靈蛇閃現，最厲害的戰績是曾經水底下埋伏七日七夜，最後將想坐船逃走的大盜牢牢捉住！

趙虎

人如其名，身材魁梧，聲如洪鐘，力大無窮，擅長各門各派的功夫，傳聞他曾經一人力敵四十大盜，最後竟然將他們全部收伏！

王朝

是四人當中最聰明，也是最冷靜的一個，擅於易容、跟蹤、不動聲色就能用計謀引出罪犯！

馬漢

身手敏捷，靜若處子，動若脫兔！跑步速度極快，犯人只要是被他盯上，從沒有一個能夠逃出他的追捕！

自從這四大名捕來了開封府之後，他們捉盡惡人奸黨，治安好上了不少，百姓暫時放下心頭大石，開封府似乎又再回到昔日的繁榮安定……

第二章・厄運前夕？

天灰灰暗暗，開封府下起微微細雨，似是暴風雨來臨的前夕……

「甚麼？新來的府尹竟然是一個**皮膚黝黑**的人？」馬漢道。

「不是吧？朝廷沒有聽過那個有關黑色的可怕傳說嗎？」張龍被馬漢嚇個正著。

「朝廷是在跟我們開玩笑嗎？百姓連芝麻糊都怕，如今竟然派一個**黑人**來管治開封府？」趙虎大聲地說。

「他是**府尹**，我們是他的下屬……百姓會不會以為我們和他是一黨，把我們一起**排斥**？」馬漢心慌慌地猜測。

「拜託！先不要胡說！朝廷這樣做一定有原因，我聽說他是一個**出名嚴厲**的官員，不過我們不應掉以輕心。說不定情報有誤，為了開封府的百姓著想，我們還是應該想辦法對他試探一番。」王朝冷靜地說。

「哎呀！盲猜無用，不如誠心一點，拜一拜城隍，讓祂好好的保佑我們和開封府吧！」馬漢沒好氣地說。

王朝、馬漢、張龍、趙虎同時誠心跪在地上，向城隍參拜。廟內人頭湧湧，原來已經臨近歲晚，所有人都在城隍廟祈福拜神，希望來年順風順水。而四大捕快一邊拜神，一邊討論的，正是農曆新年後將會到開封上任的新府尹——包拯！

菜市場中，百姓**口耳相傳**，對包拯議論紛紛，眾說紛紜。街坊交頭接耳，傳說包拯出名皮膚黝黑，有「**包黑炭**」的稱號，大家都大為緊張和擔心。

街頭巷尾的大叔、大嬸、屠夫、菜販、店小二、車伕、商人……無不在討論包拯的身世和來頭，有人說他是一個清官，亦有人說他是一個災星，更有人將得道高僧的預言重提，擔心包拯就是傳說中會將開封府搗亂的**大魔頭**！

「這個包大人會不會就是傳說中為開封府帶來厄運的人？」

「哎呀！似了似了，聽說他比**黑炭**還要黑，黑得可怕呀！」

「好端端一個中國人，又怎會有黑黑的皮膚？說不定他可能**災星托世**呢！」

「怎麼辦？不如我們想辦法把這個『黑炭頭』送走吧！」

「他是官大爺呀！趕走他等於造反，這可是**殺頭死罪**！」

「那我們可以怎麼辦？」

「不問官府，就唯有問**鬼神**！我聽說，郊外最近有一間野廟，聽說廟內供奉的神靈十分靈，香火頗為鼎盛，倒不如我們都到廟裡一拜，祈求厄運不會到來開封，也許神靈會幫我們送走瘟神，迎來好運，好不好？」

「好吧好吧！順便為豬仔和豬妹求支好籤也好！」

一群在市墟買菜的婦人，浩浩浩蕩蕩出發前往郊外，殊不知這原來是一個可怕的開始……

府尹

開封府的府尹，是宋朝一個極重要的官職，地位在尚書之下、侍郎之上。宋朝不少有名的清官和大臣如寇準、歐陽修、蔡襄、范仲淹、蘇軾、司馬光等北宋名臣都曾先後出任。

府尹負責掌管城市內所有民政、司法、捕捉盜賊、賦役、戶口等政務，地位就有如一個城市的首長，好比香港的行政長官。因為府尹的權力極大，如果上任的官員是清官，大家當然放心；然而，如果上任的是一個壞人，他就可以藉著權力貪贓枉法，迫害百姓，因此開封城內上下都十分關心，到底包拯是一個怎樣的人……

第三章 · 神秘美少女

　　包公將要到開封的消息流傳了一段時間，可是過了原定的上任時間，這位大人仍然是**神龍見首不見尾**，始終仍未出現。

　　日子一天一天過去，農曆新年比包公更早來到開封府！新春喜慶滿溢，開封府人人暫時放下憂心，開開心心地過新年。市集中，人人都在慶祝新年，熙來攘往，人頭湧湧，而四大捕快也夾在擠擁的人群之中。

　　突然，小明媽媽走到四大捕快面前，說：

「捕快大人，我家小明不見了，你可以幫我找回他嗎？」

馬漢有點**不耐煩**地說道：「哎呀，陳大媽，你看看，市集裡一街都是人，你家小明一定是貪玩，不知走了哪裡去而已！你再等多一會，他就會出來了！」

王朝也來幫口，拍拍小明媽媽的肩膀：「對了，不用太擔心吧！」

「**走快一點吧！**」趙虎推著眾捕快，心急催促各人：「遲了就看不到了！」

「用不著這樣緊張吧！」王朝輕聲道。

「哎呀！朝哥，你由得他吧！哈哈！」張龍笑著說：「難得高興，就陪一陪趙虎吧！」說罷，四大捕快就不理小明媽媽走了。

「哈哈！你說得真對！外行的人必定想不到，原來我們當捕快的，都有 **旺季** 和 **淡季** 之分，每年這個時候，大盜也得趕回家鄉過年，小偷們都 **不好意思** 在新年犯事作案，小明又怎會有事？」馬漢一邊輕步走，一邊開心地說：「我們當捕快的，一年就是得這幾天淡季，可以休息休息！如果這也不輕鬆一下，就真的對不起自己！」

「還顧著說！快跑吧！」趙虎說。

「真想不到趙虎你虎背熊腰，為了趕去勾欄看表演，竟然變了個孩子！」

「**哈哈哈哈！**」眾人大笑，不亦樂乎。

原來四大捕快正在趕去勾欄看表演呢！可是勾欄到底是甚麼地方？

「已經過了這麼多天，這個包大人仍然未出現，到底葫蘆裡在賣甚麼藥？」王朝在趕去勾欄的途中，不忘公事。

「難得休假，就不要掛心公事吧！放下包大人的事，勾欄就在前面，趕快進去吧！」張龍勸說道。

好不容易趕到勾欄，甫坐下，四大捕快同一時間啞口無言，好像著了魔的呆掉了——他們完全不敢相信他們眼前所見的事！

一個沉魚落雁，**閉月羞花**，美得好像仙子的女孩竟然站在他們眼前！

「大家好！大家可以叫我青青姑娘！初來開封，今天獻唱一詞，希望大家喜歡！」美少女嫣然一笑，清清喉，便開口唱起來：

「一向年光有限身，等閒離別易銷魂，酒筵歌席莫辭頻。滿目山河空念遠，落花風雨更傷春，不如憐取眼前人。」

青青姑娘的歌聲**如怨如慕**，如泣如訴；餘音嫋嫋，不絕如縷。整個勾欄內的人，無不被青青姑娘的歌聲吸引著。悅耳動聽，令人沉醉的聲音，加上美麗青春的外貌，不消一會就俘虜了馬漢、張龍、趙虎的心。

「又美麗，又懂得詩歌美詞，這樣的仙女，真令人動心！」

「女神啊……」

「她看著我笑啊……」

美貌當前，似乎只有王朝一人仍然保持冷靜，而馬漢、張龍、趙虎等人已經不約而同地被青青迷住。然而，更意想不到的是，青青姑娘獻唱完之後，竟然**主動**走向他們！

「你們好！想必你們就是開封府的四大捕快，王朝、馬漢、張龍、趙虎吧！」

青青姑娘害羞地向四大捕快打了個招呼，馬漢、張龍、趙虎想不到心中女神竟然主動向他們打開話匣子，心如鹿撞，完全呆掉了。

「其實，小女子有一個不情之請……」

「沒有問題！一切交在我們身上！」

趙虎不待青青姑娘說完，就已經搶先回答！

「真的嗎？真的甚麼也可以嗎？」青青姑娘滿心期待地問。

「**當然可以**，
我叫張龍……」張龍從
橫裡閃出，更裝起一個
帥氣的樣子，深情地看
著青青姑娘：「我，最

喜歡幫助別人……」
「哎……我馬漢，
也喜歡幫人！」馬漢唯
恐吃虧地補上一句。

王朝看著他們三人

傻裡傻氣地討
好青青姑娘，
沒好氣地**閉
起目來**。

「你們真好！」青青姑娘開心非常地說：「其實是這樣的，小女子一向仰慕捕快，覺得你們這些捕快捉賊厲害，又有**正義感**，如果有機會，我真的很想跟著你們去查案，觀摩一下，你們覺得可以嗎？」

「**當然不**……唔唔唔……」王朝甫開口，就被馬漢、趙虎和張龍三人掩住嘴巴！

「當然不……會麻煩我們！青青姑娘真好，這個年頭，這麼有正義的女孩真的很少有！好吧！一言為定，你就跟著我們去辦案吧！」張龍故作正經地說。

「真的嗎？**一言為定**！太好了！」青青姑娘開心得馬上撲向四大捕快，擁著他們——有機會親近心中女神，馬漢、趙虎和張龍笑得**合不攏嘴**！

眾人圍成一個圈子，交織出一個歡樂的畫面！唯獨王朝一人木著臉，因為，他心中仍然關心一個問題——到底包大人是甚麼的人，他又會不會為開封帶來**惡運**……

勾欄

　　勾欄，其實是宋代戲曲在城市中的主要表演場所。宋代工商業迅速發展，經濟繁盛，百姓就自然需要娛樂，勾欄便因此而生。勾欄中，常常有一些具有超凡技藝的表演人才，他們表演說唱、雜劇、雜戲等，吸引不少人去看表演。因此，勾欄往往熙熙攘攘、熱鬧非凡。後來，文人孟元老更在《東京夢華錄》說，「不以風雨寒暑，諸棚看人，日日如是。」即是說，不論雨打風吹，勾欄還是天天人頭湧湧，就好像是天王巨星開演唱會一樣，難怪連捕快們都趨之若鶩。

第四章·新官上任

　　新年剛過，城內仍留有不少新年氣氛，揮春、紅字、紅色的爆竹碎，仍是到處可見。

　　包拯終於入城上任！

　　不知何故，包拯竟比原定上任的日期遲了三天。不過，另一件**奇怪的事**，就是包拯不但沒有如其他新官上任般刻意張羅，更拒絕了大鑼大鼓的迎接，只是平平淡淡地進城，普通百姓甚至不知道包拯已經入城……

　　公堂內，四大捕快一早在殿前恭候。

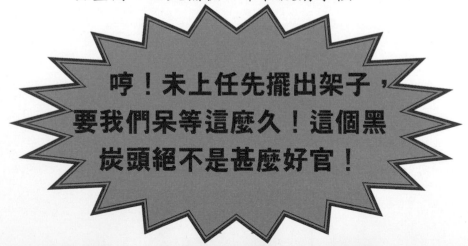

哼！未上任先擺出架子，要我們呆等這麼久！這個黑炭頭絕不是甚麼好官！

「說的也是，我住在中原多年，也沒有見過『黑人』！說不定，他可能怪裡怪氣，是個怪人。」

「不要再說了，一會兒千萬不要失禮！朝廷派他來，必有他的用意。」王朝最後亦不忘提醒其餘三人，即使包拯的確如傳聞中，像黑炭一樣，也千萬不要露出驚訝的神情，始終要保持恭敬。

「包大人到！」

幾陣腳步聲傳來——包拯終於來了！

包拯剛踏入公堂，公堂馬上變成一片寂靜！

靜得連蚊子飛過的聲音都能夠聽到！王朝、馬漢、張龍、趙虎，四大捕快都突然目瞪口呆，一身便服的包拯，果然比黑炭還要黑！

「**不得無禮！**枉你們被百姓稱之為開封府四大捕快，看見包大人竟然不行見面之禮，全無禮數可言！見微知著，你們幾個對包大人尚且如此輕薄無禮，對老百姓你們必定更加傲慢，以後怎樣靠你們辦事！」一把男聲嚴厲斥責道。

「公孫先生，不要苛責他們，可能他們公務繁忙，未及休息，才會有點冒失吧。」另一把低沉的聲音響起。此人說起話來，語調溫文，說話的節奏**不徐不疾，不怒而威**。

「四位捕快好！在下包拯，字希仁，廬州合肥人士，奉皇命接任府尹一職。你們可稱呼我為包大人。左邊這位是公孫策，公孫先生，將會是開封府的師爺，以後全力協助我辦案。」

包拯沒有穿上官服，頭上只是戴著一頂帽子，身子略胖，但雙眼**炯炯有神**，充滿光芒，穩而威重。雖然正在閒話家常，但言談間仍滲透出凜凜威武之風！

　　「包大人，你好！在下王朝，其餘三人分別是馬漢、張龍和趙虎，我等接待不周，還請見諒。」王朝首先回過神來，連忙向包拯請安，亦為剛才的失態道歉。

「這裡有一批公文，請包大人細閱。」馬漢和趙虎將公文遞上。

「哦？公文？我剛從外地趕來，身心俱疲，你們先把公文放下，我待會才再處理。」包拯似乎對公事**不太在乎**。

「甚麼？包大人你已經比原定上任時間遲了三天，這些公文已經遲了幾天，公文內容都與開封府**百姓的生活**有關，再不批閱，可能會影響到民生。」張龍質疑道。

「**對啊**！雖然剛過新年，市內一片平靜，但是城內的水利灌溉系統略有損壞，如果現在不批公文，准許工人修理，遲一點可能會影響到農夫的耕作。」馬漢補充。

「遲幾天而已，水利而已，有甚麼大不了？你有想過包大人為甚麼會遲了入城上任嗎？**你們這些捕快，知道開封府最近發生甚麼大事嗎？**」公孫策不待包大人，就已搶先回應。

　　趙虎按捺不住，大聲答道：「最近大家忙著過年，百姓只是趕著拜年、辦年貨、迎新歲。城內治安良好，一片喜慶，根本沒有甚麼大事發生。」

　　「枉你們號稱四大捕快？你們連開封府正在發生甚麼事你們都不知道？真教人失望！看來還是要依靠**展昭**……」公孫策冷冷地說，似乎對四大捕快之前沒有行見面之禮，仍懷恨在心而**借題發揮**。

　　「誰是展昭？」王朝不服氣地搶著說。

「『南俠』展昭，被皇上御封為**御前四品帶刀護衛**，封號『御貓』的大人物！他是我們包大人的護衛。展護衛為人謙和、儒雅、有君子之風，並且武藝高強，善輕功、會袖箭、劍法高超……豈是你們這幾個小捕快可比！要不是展護衛有要事在身，要遲幾個月才到達開封府，你們才不會如此大口氣。」公孫策輕蔑地看著四大捕快，暗示他們比不上展昭。

「豈有此理！我們四大捕快在這幾年來，在開封府捉過的賊人何止百人，你們竟然……」趙虎氣沖沖地說，馬漢和張龍都似乎快要忍不住，似乎快要把公孫策打起來——堂堂四大捕快，竟然被人看不起，這口氣真是誰也難以嚥下！

　　「趙虎！」冷靜的王朝衝前掩著趙虎的口，不讓他說下去。

　　「公孫先生，**不得無禮！**幾位捕快始終是開封府的得力助手，你也是我信賴的智囊，大家以後還要合作，相爭相吵沒有甚麼意思。」包大人話語一出，公孫策馬上收口。

包大人接著淡淡說：「這些公文，都是小事，不消一會就可以解決，不急在一時，但是開封其實正可能將會發生一件大事！你們作為捕快，沒可能不知道，你們應該多加接觸百姓，了解一下民間有甚麼問題。我現在給你們**五天時間**，你們到處打聽一下，到底民間有甚麼冤案大事，再回來向我報告。」

四大捕快**面面相覷**，不服氣地接下指令。

「好了，就這樣吧，我先回府休息！還有，有時間的話，煩請你們打掃一下公堂，公堂應該有公堂的樣子，清潔是很重要的。」包拯看著公堂暗角，有一隻小小的蟑螂爬過。「你們的第一個任務，就是先清潔好公堂！」

「**包大人你……**」堂堂捕快，竟然要打掃公堂！王朝登時氣結。

「好吧！我也累了，就這樣吧！」包拯說罷，頭也不回，就與公孫策回府休息。

第五章 · 捕快出動

　　公堂內，四大捕快拿著掃帚、抹布、地拖，正在清潔公堂。

　　「**豈有此理！**這個公孫策，竟然這樣挑釁我們！說甚麼展昭，甚麼南俠，甚麼御貓，分明不把我們放在眼內！老子幹掉四十大盜，威震京師，誰沒有聽過我的名號！御貓？**我呸！**我趙虎是猛虎一頭，豈會比不上展昭這小貓咪！莫說四十大盜，四十小偷他也未必應付得到！」

趙虎拿著抹布，悻悻然地抹著「正大光明」牌匾說，憤怒的他抹得非常大力，似乎快要將牌匾上的字抹掉。

「依我說，那個公孫策，根本就是公孫**賊**！名字也改得壞過人！不過有甚麼主人，就有甚麼狗！你看那個包大人，遲了上任，還借事推諉，說甚麼開封將有大事發生，分明是自己想偷懶！城內一片新年氣氛，人人安好，會有甚麼大事？自己有公文不好好處理，只懂休息！你看他的胖肚子，**肚滿腸肥**，還不是因為他只懂睡，不工作才養成的！」張龍擦著地板，氣呼呼地說。

「龍哥說得有道理！人們常說新官上任三把火，這個包拯，不但**沒有火**，連做事的心也沒有！如今更要我們在這擦地板！分明就是看小我們的能力！」馬漢拿著掃帚，一邊掃一邊說。

　　「兄弟們，我們無論如何都要**還以顏色**！況且，如果他這樣下去，不處理公務，搞不好，遲一點開封真的會盜賊滿城，百姓哪會有好生活……哎呀！會不會那個預言是真，這個包大人真是傳說中**搞亂開封**的人！王朝大哥！你說我們應該怎麼辦？」趙虎緊張地問。

　　王朝一直抹著案頭，沒有出聲。張龍、馬漢、趙虎緊張地看著王朝。王朝向來是**最冷靜**的一個，大家對他馬首是瞻。想不到，王朝竟然「啪」的一聲，把手中的掃帚拋到地上：

　　「我們身為捕快，竟然要在公堂掃地，**真是氣死人了！**管他甚麼包拯、展昭、公孫策！趙虎說得對！我們真的要還以顏色！我們是捕快，不是清潔工！說甚麼水利是小事，太看不起人了！民生無小事！我們現在就出發，到城內辦案，有甚麼案件，不論大盜小賊，還是雞毛蒜皮的小案，我們全部把他們帶回公堂，

讓這個包大人辦理，事無大小都讓他過目，看他還敢不敢說我們**不識民情**，不知道開封府正發生甚麼！」王朝振振有詞，其他幾位捕快點頭認同。

四大捕快同一時間拋下手中的掃帚、抹布、地拖，拿回自己的武器，昂首闊步地步出衙門。

想不到，甫走出衙門，青青姑娘竟然已經全副裝備地在門外等待。張龍、馬漢、趙虎三人互相對望，臉上掛著狡黠的微笑。

「四位大人好！我已經準備好跟你們出發，一起去查案！唏！」青青姑娘可愛地擺好架勢，心情**相當興奮**。

「青青姑娘，你怎麼知道我們要出動捉賊？」王朝好奇地問。

「是馬大哥、張大哥、趙大哥他們告訴我的，他們說今天一定會說服到你，一起出外查案的！」

王朝沒好氣的回頭盯著馬、張、趙三人，心想：「你們這三個**臭小子**，說這麼多，原來也是想引我安排行動，出發捉賊，好讓你們與青青姑娘見面。」

「王朝大哥，你還記不記得我們應承了青青姑娘，讓她跟著我們辦案⋯⋯**男人大丈夫**，你不會反口的，是吧？」馬漢向著王朝，笑著說。

原來，馬漢、張龍、趙虎除了要向高傲的公孫策和懶散的包拯展現本領外，他們同一時間更想透過表現自己的天賦來得到青青姑娘的芳心。王朝本來不太願意讓青青姑娘跟著查案，不過既然馬漢等人已把話放出，**君子一言，快馬一鞭**，重視承諾的王朝唯有無可奈何地讓青青姑娘跟著他們辦案：

　　「好了吧！青青姑娘，煩請你一切小心。」

　　「太好了！」青青樂得馬上與馬漢、張龍、趙虎三人擊掌。

「五天後，我向天發煙花為記號，到時候，我們各自帶著犯人回衙門，讓包大人看看我們的本領！」王朝眼中有光，自信地說。

　　「好！」五手把手疊在一起，為了公義，為了愛情，大叫一聲：**出發！**

　　　四大捕快出動！開封城內的犯罪分子要頭痛了！

第六章 · 神秘的野廟

城郊，野廟。一幀殘布掛在廟外，徐徐地飄⋯⋯

野廟附近**樹木參天**，陰雲蔽日。廟前有數棵榕樹，榕樹高達十丈，榕樹的氣根，多而下垂，像百條毒蛇一樣，幾乎包圍了整個野廟。驟眼看去，野廟似是與榕樹**融為一體**。

野廟外畫上了不少奇怪的圖案，圖案的用色暗淡，似乎畫上了**地獄**的圖案，氣氛陰森恐怖，一片慘綠，似是有一陣黑暗的陰霾籠罩著。

這座野廟本來**渺無人煙**，誰知，在近幾個月來，竟然突然興盛起來。

傳聞，廟中住著一個得道高僧，擅於術數，長於占卜。高僧身形枯瘦，聽說他不用食東西，只靠**吸風飲露**就可以維生。高僧十分神秘，全身都包著黑布，身上掛著一些暗紫色的水晶，全身只露出眼睛，沒有人看過他的**真面目**，大家只看到他的雙眼。

然而，他往往會把雙眼閉起，一旦張開，卻有一種懾人的氣魄，雙眼瀰漫著一股妖邪的怪氣。眼珠好像水晶球一樣，透徹著一陣紫氣，彷彿能看穿別人心中所想一樣。

高僧甚少說話，大多只是盤腿而坐，手中拿著一枝朽木杖，木杖上刻有一些好像是咒語一樣的奇怪符號。而寺內更養著一隻象徵不祥的黑貓，氣氛**十分詭異**。

雖然野廟和高僧神秘怪異，但卻有求必應。

聽說，信眾向高僧所求的，只要一經高僧作法，不久就靈驗。甚至，曾經有一個快將病死的人，喝了高僧加持過的「聖水」後，竟然馬上康復！

「城郊好像興起了一間野廟有個高僧，很靈，有求必應……」

「何止！聽說上個月，老陳的女兒有了痲瘋，所有大夫都幫不了手，誰知老陳帶女兒去了一趟，求了一道符，然後將符製成符水，老陳女兒一喝，竟然神奇地痊癒了！」

「真的假的？豈有這麼厲害？」

「沒有說假的啦，聽說這個高僧會法術，救過不少人！」

「對呀對呀！我還聽斬豬肉的榮哥說，這個高僧去過不少地方，幫了很多人，令有旱災的地方下雨，讓失收的地方豐收，簡直是**生神仙**一樣！」

「嘩！有沒有這麼厲害？」

「**寧可信其有，不可信其無！**我更聽說，開封府一直流傳的那個黑色歌謠和傳說原來都是出於這個高僧……」

「甚麼？」

有關野廟的傳言此起彼落，三姑六婆，張三李四，人人都在**茶餘飯後**討論這件事。自此之後，野廟的名聲慢慢傳出去，開封府不少人都冒名而至。而且包拯上任開封的消息傳開後，更令很多百姓因為害怕黑色傳說應驗而前來祈福。

久而久之，更聚集了一堆信徒。他們每天都來，替高僧打掃，陪高僧唸經，漸漸成為狂熱份子。這些信徒對高僧所說的事莫敢不從，事事聽命。

一天，高僧突然呢喃：

「可怕的災難將會在開封發生！」

信眾們大為緊張：「大師！你要救救我們啊……」

高僧似乎無視信眾們的說話，開始唸起咒語來，一邊唸，一邊做著手勢：「**臨！兵！鬥！**……」

「對啊對啊！我還不想死……」信眾繼續希望打動高僧。

「**者！皆！陣！**」高僧繼續專注於自己的咒語和手勢。

「大師！大師！」有些膽小的信眾更開始緊張得哭起來了。

「列！在！前！誅邪！」

　　本來閉起雙眼的高僧，突然張開眼睛！鬼聲鬼氣的吐出說話來：「想活命，就只有一個方法……」

「是甚麼啊？大師！」

「我們甚麼都願意做，只要可以保我們不死⋯⋯」

「大師，求求你救我們於水火⋯⋯」

大師淡淡然，輕聲地將方法講出——信徒聽到後，**面面相覷**，*瞠目結舌*，略顯驚訝，似乎不敢相信他們聽到的話！

「為了開封府的安危，不想死，你們只有跟從⋯⋯」

信眾們吞吞口水，不寒而慄！似乎，他們將要跟隨高僧的建議，做一件令人毛骨悚然的壞事⋯⋯

第七章 · 跟我回衙門吧！

啪嘞啪嘞！ 天空突然出現了一陣煙花！

五天限期快到，四大捕快到底如何展示他們的本領呢？

菜市場後巷，一個江湖術士正在變戲法，一班小朋友正看得興高采烈！

「想不想看更多戲法呢？想不想看我把木條變成冰糖葫蘆呢？想看就跟我來吧！」原來，江湖術士是想借看戲法**擄走小朋友**，把他們賣作苦工。

江湖術士將小朋友們帶到一個暗室，正準備按下機關，落下繩網把小朋友捉走之際，突然，一個身材稍為高大的小朋友撕下面具——

竟然是王朝！原來，王朝利用出色易容術，成功引出江湖術士，捉拿他們行騙的證據！江湖術士見被人揭破，馬上用暗器，在袖間噴出**迷魂煙**，希望借機逃走！豈知，煙霧一散，術士竟仍在原地，他低頭一看，發現自己被王朝用木鎖鎖著雙手！「這種級數的迷煙，我**十年前**已經不用了，真是天真！——」

跟我回衙門吧！

王朝把賊人帶回衙門大牢，包大人正在公堂，二人碰個正著，他竟**不屑一顧**，一手拿著一盤花朵，一手拿著小剪刀，正在修剪和把玩花旁的雜草。

　　黑夜中，一個小偷在大宅的屋頂，偷偷摸摸，正準備偷走陳員外的名貴古玩！

　　遽然，一陣強光閃出，射向小偷！原來馬漢早已埋伏在附近，等待機會捉拿這個小偷！小偷看見馬漢，***拔足就逃***！

　　小偷在大宅的屋頂上飛簷走壁，身手非常了得，不消一會兒，就將馬漢擺脫！小偷見馬漢已走，打開袋子，看看剛偷來的名貴古玩——突然，馬漢**從後而至**，以鎖技捉住小偷，小偷無力掙扎！原來馬漢從來沒有被擺脫，只是一直藏在樹上：「這個古玩真美，可惜沒有你的份兒——」

犯人被迫跟著馬漢回到衙門，包大人坐在公堂，不以為然，一邊吃著竹筍味的饅頭，把公文全擱在一旁。

碼頭，一班汪洋大盜將在其他城市偷來的名貴畫作，透過海路出境，希望可以乘船，偷偷地把名畫由開封走私到江南販賣。

「有沒有手足發覺，航道似乎不對……」其中一名大盜說。

「沒有錯，我正準備把你們駛回**開封衙門**呢！」張龍笑著說——原來張龍早已潛入汪洋大盜之中，駕著他們的船，要將他們繩之於法！

「兄弟們，走！」大盜們知道事敗後，馬上跳船，游水逃走。張龍在船頭看著眾人，伸一伸懶腰，笑了笑：「天真！跟我張龍鬥游水！」

張龍跳下水中，**靈動如魚**，不消一會就輕易用魚網把幾個大盜捉住——

「跟我回衙門吧！」

張龍將犯人押回衙門，剛好包大人亦正在公堂，但他竟然與孩童優哉游哉地耍樂。

地下拳館內，群眾正為著一場精彩的地下拳賽吶喊！擂台上，一個戴著面具的神秘高手已經將十二個對手擊倒，最後**只剩下一個**！

二人在擂台酩戰，蒙面高手拳拳有勁，拳風呼呼！對手雖然已是一級高手，仍然無法抵抗，被蒙面高手打得**滿嘴是血**！蒙面高手最後一記左勾拳，將最後一個對手打低！然後突然脫下面具，雷聲作作地大聲說話：

　　「我是開封捕快趙虎！在座的每一位都犯上了**非法聚賭**的罪，你們現在有兩個選擇：一，乖乖跟我回衙門認罪；二，逃走！」

「不過，我已經將現場所有拳手打倒，如果你們想逃，除非你們覺得你比這班拳手好打，否則我奉勸你們想清想楚！逃走只是白費氣力，明白沒有？」

在場所有人馬上呆掉！他們深知，逃走沒有好下場，最後唯有乖乖跟趙虎回衙門。趙虎看著一眾被嚇倒的賭客，大笑：

「跟我回衙門吧！」

犯人口腫面腫地被帶到衙門，排著隊進入大牢，這次，包大人竟然與公孫先生對著一堆草藥研究，對趙虎帶回來的犯人不屑一顧，真是胡鬧！

跟我回衙門吧！ 跟我回衙門吧！ 跟我回衙門吧！ 跟我回衙門吧！ 跟我回衙門吧！

這句說話在這幾天此起彼落，四大捕快，不消五天，就將開封府附近，甚至**鄰近地區**所有罪犯捉了回來！青青姑娘一直跟著他們左右，看著他們辦案，更細心地把他們辦案的過程抄寫下來。因為青青姑娘的關係，馬漢、張龍、趙虎都顯得份外落力。

公堂內，四大捕快正在吃晚飯。

「青青姑娘，看過我捉賊的英姿，一定會喜歡上我！」趙虎**滿心歡喜**，卻被旁邊的馬漢澆冷水：「不是吧！青青姑娘看我捉賊的時間，比看你的時間長，明顯是在**暗戀**我吧！」

「你少神氣吧馬漢，看你的時間長是因為你捉賊捉得慢，青青姑娘喜歡的是我，你死心吧！」張龍自信地說。

「你才死心！」

馬漢、張龍、趙虎三人為著青青姑娘而爭風呷醋，更傻傻的打罵了起來。唯獨是王朝，心中仍有掛慮：

「每次從押送犯人回到衙門，這個包公都在**不務正業**——難道，他真的是那個會為開封帶來厄運的人？」

王朝沒好氣去理會馬漢、張龍、趙虎三人，獨自走向天井，舉頭望著天空，**滿天星宿**的夜空，厚厚的雲遮蔽著月亮。

到底包公是怎樣的人呢？似乎到了明天斷案的時候，才能分曉。

第八章 · 包公斷案 露出真面目

五天限期已到，包大人與一眾捕快在公堂會面。

趙虎自鳴得意地說：「包大人！我們已經照你的吩咐，一口氣將所有罪犯捉了回來，而且也接觸了百姓，他們說有很多難判的案件要由你判決，所以我們也準備了一些**棘手的舊案**件讓你處理！你說這都是小事，很容易解決，我們期待你也會在五天之內，把這些新舊案件一併處理，好讓我們見識一下包大人你的厲害！」

　　包大人看著案頭上一堆舊新案件的公文，眉頭一鎖。

　　「五天？我看不好了，處理這些小事，五天好像時間長了一點，一天吧！」包大人淡淡地說。四大捕快**呆一呆**！他們心想：「一天？這裡的案可是十天也審不完，你這個包黑炭又憑甚麼在一天內解決一切？」

包公數數眼前的公文：「好！這裡共有七十份公文！一口氣傳召所有有關人等前來！讓我逐個逐個審！」

不消一會兒，所有案件的涉案人都聚在公堂附近，等待著包公斷案，衙門一時間變得人頭湧湧。

包拯淡淡然地說：「第一宗案，陳老闆、李四、王二，到底**所為何事**？現在同時開始申訴給我聽！」

陳老闆氣憤地說：「今早起來，在我的店內，有一斤豬肉被偷了，右邊這兩個，一個叫王二，一個叫李四，就他倆在場，但是他們怎樣都不認帳。」

王二、李四這兩個都異口同聲，指著對方互相抵賴：

是他偷吃的！

包拯看著二人，笑了笑，突然用力一拍驚堂木，叫二人在公堂中央站好，大喝一聲：「趙虎給我**劈開**此二人的肚子，看是誰吃了豬肉？」

趙虎呆了一呆，看著包拯，問：「當真？」

包拯板起了臉，說：「**真！**」

趙虎唯有順從命令，拿起了舉刀，準備要向二人肚子劈過去，兩人嚇得大叫，李四趕忙說：「是我是我，是我吃的！」

不消 半炷香 的時間，包公竟就已經先破一案！

包拯大拍 **驚堂木** 吩咐：「人來！重打五十！」包拯再看看公文：「好！下一宗案件，傳李榮、趙三、陳二等八人上堂！」

李榮、趙三、陳二等一共有八人，原本是打鐵店的下人，老闆吳大力發現鎮店寶劍被偷，而寶劍的位置只有這八人知道，但是無人招認，亦無物證，案件因此成為 **懸案**，無人能破。

「我現在手中有神紙一張，我把它裁成了一樣長短的紙條八張，疑犯你們一人抽一張，偷東西的人抽到時，紙張就會變長。」包公說罷，就讓每個人從他手中抽了紙條。

馬漢：「**神紙？**搞甚麼怪力亂神？」

「好！你們現在每人各有一張紙條，本官如今容許你們到堂外走\\一圈再回來，之後，一切就會水落石出。」

「不是吧？這樣審案真奇怪！」張龍悄悄地說。

「看看再說……」王朝冷靜地說。

八個疑犯一一回到公堂，交了紙條，包拯一看，指著其中一個**疑犯**張麻子就說：「賊就是你！」

張麻子道：「不是我，我的紙條沒變長！」

包拯大喝：「那為何你交的紙條比別人短一截？**分明是心虛**！來人啊！給我重打三百大板，看他要不要實話實說！」

張麻子聞言只好跪地求饒：

「大人別打！寶劍是我偷的！」

原來，這個叫張麻子的人心裡有鬼，怕紙條變長了，於是在出衙門時，竟偷偷將紙條撕了一半！原來包拯並非真的擁有一張神紙，而是利用犯人心理，讓他們自曝其短，露出馬腳！

「**厲害！**」王朝等人心中不由自主地驚嘆：「當捕快多年，從來都沒有見這樣審案的方法，包拯竟是個審案如此快速而精準的人！」

本來排在公堂外準備被審的長長人龍，愈來愈短。就這樣，包公發揮他善於判別和捉摸犯人心理的能耐，竟在一天內，將十天才能審完的案件一口氣地審完，在場的人無不**嘖嘖稱奇**。

終於，公堂內，所有涉案的原告、被告都已經走得**七七八八**，只剩下包拯、四大捕快和幾個小衙差。王朝等人眼見案件審完，以為告一段落，包公竟然在此時怒拍驚堂木，大喝：「最後一案，疑犯王朝、馬漢、張龍、趙虎上前！」

四大捕快登時一愕：「**甚麼?**」

包公充滿威嚴地喝斥：「王朝、馬漢、張龍、趙虎，知否自己所犯何事？」

趙虎忍不住脾氣：「搞甚麼鬼，我們堂堂捕快，**行俠仗義**，五日內捉盡奸黨壞人，何罪之有？」

「青青，出來！」包公一叫，青青姑娘竟然從公堂後堂徐徐走出，四大捕快登時一愕：「青青姑娘？你怎麼會……」

包拯說：「青青是**家女**……」

馬漢、張龍、趙虎三人一愕：「怎麼可能？」

青青姑娘捧著一本簿子，讀出簿上的記錄：

「王朝，易容潛入，前後捉犯人四個；

馬漢，夜半追捕，前後捉小偷六人；

張龍，江上競速，前後捉大盜五人；

趙虎，搗破地下搏鬥賭場，捉賭徒十人……」

青青姑娘如數家珍地將四大捕快這幾天來捉賊的一舉一動說出，原來青青姑娘一直跟著他們查案就是要記低他們的本領和所查之案！

「四位捕快，請問你們如今知罪沒有？」包拯再問。

王朝冷靜道：「青青姑娘的記錄正好說明了我們**盡忠職守**，何錯之有？」

包拯說：「本官給你們五天時間去查探一下開封府有甚麼大事或者陰謀正在發生，你們只顧著捉賊、捉小偷這些小事，到頭來還是查不出最重要的事，不是疏忽職守，是甚麼？」

王朝狐疑：「最重要的事？」

包拯沒好氣地說：「公孫先生和**陳大媽**，請出來！」

公孫策從後堂走出來，拿著手中的資料：「最近兩星期，**開封府一共有二十個童男、十八個童女失蹤**，這些童男童女全都是在市集附近失蹤，同是來自貧窮家庭⋯⋯」

陳大媽抹著眼淚說：「我家小明失蹤已久，我曾經找過幾位捕快，不過他們**沒有理會我**，結果到今天，小明還是沒有回

來……」

四大捕快登時一愣：「甚麼？小明竟然還沒有回家？」

公孫策神氣道：「記不記得我們初次見面時，我問過你們甚麼？」

馬漢喃喃地說：「你問過我們，有否想過包大人為甚麼會遲了入城上任……難道包大人遲了上任，就是為了調查童男童女？」

公孫策：

「正是！包大人上任，第一個目的，就是粉碎神怪之說，揭穿黑色預言的騙局！」

張龍驚訝說：「包大人，你們早就知道開封府的這個 **黑色預言** ？」

　　包拯不徐不疾地說：「人來，將準備好的菜油拿出！」衙差遞上菜油，包公用毛巾，點一點菜油，往自己的臉上一抹──竟然將臉上黑黑的皮膚抹走，原來包公的皮膚 **根本不是黑色** ！

　　「這些只是演大戲所用的化妝顏料！」包公說。

　　「甚麼？原來包公黑炭的傳聞竟然是假的？」四大捕快突然一嚇──包公的皮膚原來不

是黑炭頭、青青姑娘原來是包拯的女兒、開封府有大量童男童女神秘失蹤、包公遲上任原來是為了查案，這**一切一切**都超乎了他們的想像！千百個問號同時敲打王朝、馬漢、張龍、趙虎的腦袋！

到底，這一切的背後，正藏著一件怎樣的大事？

第九章 · 真相

公堂內，王朝等人，被包公的**真面目**一嚇，來不及反應，有點不知所措。

王朝自愧先前一直針對包公，忽略了更大的真相，硬著頭皮道歉：「包大人，我們的確有所疏忽，屬下願受懲罰，但請大人將整件事的**來龍去脈**告知我們！」

包拯徐徐站起，走向四大捕快，拍拍他們的肩膀，說：「你們請起！受懲罰就不必了，日後還有更多**將功補過**的機會。」

包公再說：「孔夫子曰，子不語怪力亂神。本官一向不相信神鬼之

說，不過百姓迷信，卻自古皆然。長久以來，不少壞人利用百姓迷信的傳統，小則招搖撞騙，大則作奸犯科。**心術不正**之徒，往往利用老百姓，作害人的勾當⋯⋯」

「公孫先生⋯⋯」包拯從公孫策手中接過朝廷的公文，然後遞向王朝等人，繼續說：「朝廷早已發現，近年有不少地方，都如開封府一樣，每當有新官上任，就會傳出古怪的預言和傳聞，同時不約而同地出現大量童男童女失蹤的情況⋯⋯」

王朝摸摸下巴，說：「即是說，開封的黑色預言是有人**處心積慮**製造的陰謀，目的就是為了擄走這些童男童女？」

包公說：「沒有錯！朝廷發現，每當有新官上任的地方，出現的所謂預言，都會針對新官的特徵，比如上任的新官身材短小，就會出現矮腳虎吃人禍城的傳言⋯⋯」

張龍：「那麼，包大人你臉如黑炭的傳聞，是你刻意放出來的消息嗎？」

包拯：「**全對！**本官刻意將計就計，著公孫先生在我上任之先，散播謠言，說我臉如黑炭……」

趙虎一臉茫然問：「我真不明白，為甚麼包大人你要這樣做？」

王朝打一打趙虎的頭，說：「包大人在上任前刻意**製造流言**，就是為了藉此引歹徒現身！假如開封府因此而出現了包大人臉如黑炭會帶來災禍的消息，就驗證了所謂預言只是為了布

局作惡而偽造的，包大人正在**引蛇出洞**呢！」

　　包公打趣幽趙虎一默，說：「趙虎大人，我知道你武功高強，但查案做事也要多動腦筋哦！」包公續道：「本官上任開封的第一個任務，正是要調查和搗破這個導人迷信的**神秘集團**。本官入城前，刻意保持低調，喬裝在城郊一帶巡查，果然讓本官發現，城郊附近突然興建了一座野廟，香火鼎盛得相當**不尋常**。加上開封有童男童女大量失蹤，本官肯定，兩者必有關聯！於是，本官在你們捉賊交差的五天期間，與公孫先生再到野廟一帶查探，果然有所發現……」

這個時候，公孫策拿出一盆盆栽——王朝認得，這就是他押送犯人回衙門時，包大人正在把玩的花朵！

包大人由公孫先生手中接過花朵，說：「我們發現野廟的附近，種滿了這種花。這朵美麗的花兒，叫曼陀羅花，同時是一種中藥，《扁鵲心書》中說：『人難忍艾火炙痛，服此（曼陀羅花）即昏不知痛，亦不傷人』，曼陀羅花的作用是使肌肉鬆弛，因此古人將此花所製的麻醉藥取名為『蒙汗藥』。」

「這花竟然是蒙汗藥？」王朝驚訝著。

包公再說：「我們發現，野廟附近洋溢著奇怪的氣味，後來本官研究發現，原來曼陀羅花用火一燒成煙，人們吸入之後，就會產生幻覺和上癮！一般

的廟宇絕不會栽種這種害人的花，所以本官幾可肯定，這野廟必然是**立心不良**的謀人寺！」

張龍問：「那麼說，包大人你認為，這廟宇的主持利用曼陀羅花，毒害信眾，操縱他們捉走童男童女？」

包公說：「不單止，再大膽一點推斷，他們不單擄走了童男童女，更可以利用曼陀羅花，製成蒙汗藥，把擄回來的童男童女迷掉，然後將他們賣走到其他地方作**人口販賣**，甚至拷斷他們的手腳，以操縱他們行乞掙錢！」

趙虎怒髮衝冠，漲紅了臉，大聲斥喝：

實在太可惡了！
我現在就出發，
把這座廟拆掉！

包公安撫趙虎，說：「且慢，冷靜一點！這個神秘集團行騙已久，在不同的州份橫行，又懂得預先打探朝廷命官的調遷，應該不是平凡之輩，況且開封城中有不少百姓都成了野廟的信眾，如果我們沒情沒由地搗破野廟，可能會令群情洶湧，**硬碰**絕對不是最好的方法……」

趙虎心急地說：「這又不行，那又不行，到底我們要如何是好？難道由得他們 **作奸犯科**，繼續危害百姓嗎？」

青青姑娘竟然在這時開口：「父親大人派我

去跟著你們查案捉賊，就是為了要知道你們有甚麼本領，然後再好好運用……」青青姑娘解釋：「你們**四大捕快**，各有本領，尤其是王朝大哥，有勇有謀，更懂得易容……」

青青姑娘用仰慕欣賞的眼神投向王朝：「假如**王朝大哥**用他最擅長的易容術扮作信眾，當眾拆穿野廟假高僧的真面目，百姓知道被騙，我們便得到大家的支持，這個時候再殺入去，捉住他們，不就是最好的辦法嗎？」

馬漢、張龍和趙虎見青青姑娘欣賞王朝，心生**醋意**，馬上攝到青青姑娘和王朝的中間，爭相認吶。

「我的神速追捕也派上用場！」

「我的游技，青青姑娘你應該還記得吧！」

「要捉住假高僧，只有靠我的拳頭，而我的拳頭正等著青青姑娘指揮！」

「**咳咳咳……**」包公示意要正經辦事，馬漢、張龍和趙虎聽到後，也識趣，馬上收起爭風吃醋的傻臉，包公認真地說：「這次野廟之案，我早已想好辦法了！你們只要按**我的計畫**，必然可以將野廟假高僧的真面目揭穿！」

第十章 · 心中有愧

夜深，**月明星稀**，皎月掛在夜空，對照庭中一個孤寂的背影。王朝正在一個人喝悶酒，旁邊的馬漢、張龍和趙虎早已爛醉睡著了。

「想不到我們搞了一場大龍鳳，到頭來還是自取其辱……」微醺的王朝向著月亮說：「這麼多童男童女被擄走了，我們竟然**懵然不知**，更讓小明失蹤了，還想辦法留難包大人，把好人當賊辦，真枉開封府的百姓稱我們為四大捕快，支持我們維持治安！月老公公，你說，我是不是笨到不可救藥？」

「**笨蛋！**一個人對住月亮飲悶酒，你在學詩仙李白，要舉杯邀明月，對影成三人嗎？」

一把溫柔的聲音飄進了庭園。

「青青姑娘？」王朝回頭一看，青青姑娘掛著微笑，走進庭園，拿起酒杯，陪王朝一起飲酒。

「你不笨，只是壞人太狡猾，**無孔不入**，父親深怕你們是貪污的官員，所以一開始才不告訴你們，著我先考察一下，要你們蒙在鼓裡，說起來，我也應該向你們道歉……」

「青青姑娘，你不用安慰我了，公孫先生和包大人沒有錯，這次，的確是我們失了職……」

「你們一直以來捉拿了這麼多賊人，幫了這麼多老百姓，怎會是失職呢？父親是一個**賞罰分明**的人，如果你真的失了職，他才不會放過你呢！如今他沒有懲罰你們，就知道，你們算不上失職。」

王朝沉思咀嚼青青姑娘的說話。

「其實，我一直很欣賞你們，做捕快，快意恩仇，捉壞人，打奸黨！尤其是你……」青青姑娘看一看已飲醉臥在旁邊的張龍、馬漢、趙虎，掩嘴一笑，繼續說：**「你聰明冷靜，從不會硬拚硬，總是懂得智取，與眾不同，真是很厲害！」**

聽到青青姑娘的讚賞，王朝不期然地紅了臉。

「你過獎了，青青姑娘。」

「咦！你這麼厲害，又是捕快，有智有勇，應該有不少少女喜歡吧！」青青飲了兩杯酒，面色變紅，更顯可愛。

王朝看著青青姑娘可愛的臉龐，心中竟然有小鹿亂撞的感覺：

才沒有呢！

已有點醉的青青靠近王朝，打俏道：「告訴你一個秘密！嘻！我的心上人，也是一個捕快，他**英明神武，能文能武**，除了武功高強，更懂得用計謀令壞人束手就擒，是一個非一般的捕快，在危險出現的時候，他就會出動幫手將壞人捉掉……」

王朝心想：

青青姑娘說的，不會就是我吧……

「不過，他條件這麼好，怕且也不會把我看上眼吧……」

王朝看著快要醉掉的青青姑娘，倍覺可人，忍不住開始**胡思亂想**：「難道青青姑娘喜歡的人真的是我？我如今應該如何是好呢？要表白嗎？但是這樣會不會太快呢……」王朝左想右想：「好吧，鼓起勇氣吧！」

「青青姑娘，我……」一陣輕巧的**鼻鼾聲**傳來，打斷了王朝的說話，王朝一看，原來青青姑娘早已睡著。王朝撫摸青青姑娘的頭，好像是丈夫輕撫睡著了的妻子一樣，眼波裡充滿柔情。

「好！這次我一定要**戴罪立功**，成功捉住野廟的壞人，不辜負青青姑娘對我的期望！」

趙虎等人其實並沒有睡著，反而暗暗偷看王朝發情的樣子——原來平日一本正經的王朝有也傻氣的時候，趙虎等三人忍不住**捧腹大笑**！

第十一章 · 智破野廟

野廟外，陰霾滿布，一朵朵曼陀羅花被風吹拂搖擺。

野廟擺設邪門，洋溢著迷幻的氣息，氣味相信正是由廟內外大量的曼陀羅花傳來的，廟中不少信眾都目光呆滯，似乎已經中毒。全身都包著黑布，身上掛著一些暗紫色的水晶，只露出雙眼的高僧徐徐走到野廟的高台位置，盤膝而坐。

「天光光，地茫茫，暗黑怪力降開封，遍地惡虎餓豺狼，唯有月亮將狼擋，救我都城殺破狼……相信大家都知道，新上任的包拯是一個黑炭頭，暗黑怪力降開封，遍地惡虎餓豺狼這個預言已經應驗！開封的末日快到了！」在場信眾一片騷動！

高僧繼續說：「不過，預言的下半部分，象徵我們仍然有救！唯有月亮將狼擋，救我都城殺破狼！還有七天，就到月圓之夜，到了那天，

如果有足夠的祭品，月老將會**發揮力量**，將包拯所牽引到來的厄運趕走……」

高僧突然張開眼睛，投向眾人：「不過，以現在的情況來看，怕且無法**打動月老**了！」高僧拿起手杖，重重敲在地上：「還有七天，如果到時還是集不夠童男童女，你們都只有死！本僧本著慈悲之心救你們，你們竟要令本僧失望？」

「高僧息怒，我們會再努力一點，捉更多**童男童女**來助你準備祭祀！」在場的信眾，感謝高僧之言此起彼落。

其中一個信眾突然舉手發問：「高僧，老夫想問一句，為甚麼要用小孩做祭品？」

語音一落，所有信眾都向這個老翁行注目禮。

高僧淡然答：「因為只有的童男童女才可以感動上天，這是茅山佛法，凡人未必明白，但只要你相信我就可以了，本僧遊各處，所救之地何止數十……」

老翁打斷高僧的說話：

是嗎？
陳嘉大人？

捕　緝

老翁突然拿出一紙舊公文——一張通緝令，令上寫上一個被通緝的人，老翁續道：「五年前，陳燾大人你擔任永州知府，與**流寇合謀**，私下販賣人口，被揭發通緝，這五年前，你就假扮高僧，預先打探朝中消息，利用新上任官員的特徵，散布謠言，用計捉走小童作販賣掙錢！」

　　老翁突然扯開面具，原來老翁就是王朝！王朝拿出捕快令牌，大喝：「犯人陳燾！你現在犯下大罪，**束手就擒**吧！」在場信眾譁然！高僧急忙解釋：

「**此人胡說八道，定是妖邪之道，人來，將之拿下！**」

「**可惡！**」高僧大呼，果然他就是通緝犯陳燾！高僧突然向天一撒，一陣紫色的粉末散於空中！「啊！好痛呀！」在場所有人突然眼中傳來劇痛，睜不開眼！原來陳燾用毒傷害眾人的眼睛，借勢逃走了！

在場信眾吸入粉末後，神情怪異，突然將目光注視向王朝。

「**何方妖物**！大家一起收拾他！」原來，吸入了粉末後的信眾中了毒，忽然間神志不清，彷彿變成了喪屍，王朝這個沒有中毒的人，就成為了他們的目標——這些信眾似乎要像喪屍吃人般將王朝吃掉！

「*情況不妙，該如何脫身⋯⋯*」

王朝一邊恐懼，一邊向後退，退到牆壁，已經無路可退：「難道今次真是要命喪於此？」

幾個身材高大的信眾們衝前想捉住王朝——豈知，突然有人從野廟的天花跳下來，幾下手勢就將信眾的攻勢化解，然後向天一噴——**著了魔**的信眾吸入了張龍口中噴出的水後，竟然突然停下來。

「咦！我在做甚麼？」信眾紛紛清醒過來！

「多得包大人，他早就研究出解藥了！」張龍向王朝**打個眼色**。

「但……陳熹呢？快捉住他！別讓他走掉！」王朝冷靜下來，仍不忘自己的任務。

張龍提醒王朝：「不要追，相信包大人的部署，先救人吧！」

同一時間，包公帶著公孫先生等人走進野廟，指揮著各人：「青青、公孫先生，快用清水幫眾人洗淨眼睛，**以免失明**！王朝、張龍幫手扶受傷較輕的人離開野廟……」

確保在場的信眾身體沒有大礙後，王朝心中仍有掛慮。

王朝：「包大人，真的要讓那壞人走掉嗎？可惜為了救人，我們錯失了捉住陳熹的機會，可恨讓他走掉，他又會到其他地方作惡……」

「**那又未必！**」包大人冷靜道：「跟我
來吧！」

第十二章・心悦誠服

包大人領著眾人離開野廟，走入森林，森林陰霾滿布，但竟然萬花遍野，種著大量曼陀羅花！

　　「這裡才是陳燾和他的手下的大本營！」包大人眼神銳利地說。

　　王朝、張龍一聽到此，馬上架起武器，進入戒備狀態，回頭向著陳大媽等一眾平民說：「放心，我們會盡力保護你們的！」

　　「不必了！」一把熟悉的聲音從不遠處傳來，王朝等人遁聲音的來處一看──正是趙虎在樹林的背影，趙虎面前，更是一大堆已被打倒的手下。

　　「趙虎？怎麼你⋯⋯？」
王朝仍然不明所以。

　　「趙虎，做得好！」
包大人稱讚趙虎。

「朝哥，包大人早就安排我前來這裡，先把這些壞人收拾掉！我不打也不知道自己那麼好打！幾個虎形拳就把這些嘍囉打得落花流水！哈哈哈！」趙虎看著眼前被打倒的十數嘍囉，得意地大笑著。

青青：「趙大哥想不到你已經先發制人！好帥好厲害！」

「咳咳……趙虎，那些被擄的小朋友呢？」包大人知道趙虎得意忘形，特意把他拉回現實。

「是！包大人，他們全都在這裡。」趙虎指指遠處的樹底，原來十多名童男童女，當中包括

小明，全都已經安全被救！

　　王朝看過去，除了看見小明一眾小朋友外，
還看到一個大鐵籠：「竟然用這個籠關著**手無
寸鐵**的小朋友，真是殘忍！」

　　張龍：「多得包大人，他們才可以逃過險境。」

　　旁邊一直等得**心急如焚**的陳大媽，一見
小明，馬上衝前將小明一抱入懷：「小明你沒有
事就好了！」

場面一片溫馨，王朝看著一眾團聚畫面，仍然感慨。

「你怎麼了？」青青姑娘照顧著受傷的王朝，王朝看著野樹林曰：「沒甚麼，事情終於告一段落，可恨還是讓陳燾走掉……」

趙虎拍拍王朝的肩膀：「那又不一定，你看清楚鐵籠才說吧！」

王朝瞇起眼看清楚，才發現籠中還有一人——而這人竟是**陳燾**！

「**以其人之道，還治其人之身**！包大人教的！」掛著鐵籠的樹幹上，原來還坐著一人，王朝再看，才發現是馬漢！

「到底是怎麼一回事？」王朝疑惑地問。

「讓我告訴你吧……」馬漢笑說。

半炷香之前……

陳壽衝出野廟，喘著氣跑進樹林，以為終於擺脫張龍和王朝之際——

「想不到你也跑得**變快**……」聲音由上而來，陳壽抬頭一看，竟發現馬漢就坐在樹上！

陳壽見狀，馬上拔足再跑！跑了一會，陳壽不見馬漢蹤影！

「太好了，好在我命大……」陳壽語音未落，繩網就由上而下落在他身上，陳壽被擒，無法彈動！原來，馬漢一直在樹上穿梭，輕鬆地跟隨著陳壽，最後更捉住了陳壽！

「包大人，謝謝你！」陳大媽抱著小明向包大人道謝。

「包大人，對不起，我們都被騙了，以為你是黑炭頭，會危及開封，結果好心做了壞事。」在場信眾向包公請罪。

「**子不語：怪力亂神**。古聖賢都有教誨我們，不應胡亂相信神怪之事。這次騙徒之

所以可以搞出這麼多事，也是因為他懂得利用你們迷信的弱點。請大家**謹記教訓**，不要再犯好了。」

在場的百姓紛紛向包大人致謝。

「不要多謝我，本官能夠破這個案，**全靠四位捕快**！沒有他們的本領，本官也做不了甚麼，要多謝，就多謝他們吧！」

「王大人多謝！」、「馬大人，太感謝你了」、「張大人的大恩大德，我們**沒齒難忘**！」、「趙虎大人之後請多多來我們的店子吃飯，讓我們報答你吧！」

　　百姓向四大捕快的感謝聲**此起彼落**，四大捕快想起幾天前，仍然對事件全然不知，今天突然成了英雄，他們都知道功勞是歸於包大人，但包大人卻**不計前嫌**，將功勞都給了他們，反而令他們受之有愧，心中不約而同地感謝和敬佩包大人。

　　「包大人把我安排在森林等候，我還以為是要把我投閒置散，原來是捉住陳燾的重頭戲交給我！」馬漢心想。

王朝心裡感激：「包大人部署準繩，把我們各人的長處運用得宜，就連一些我們不自知的本領都被發掘出來，一切都盡在包大人的掌握之中！」

　　「多虧包大人，教曉我 **解藥的知識**，我才救得了他們！」張龍忖道。

　　趙虎默念：「想不到，我這個粗人也會成為英雄，多得包大人！」

　　四位捕快，心領神會，打個眼色，突然排成一列，下跪起來：「**包大人英明，知人善用！**」

包公沒有理會他們，再下令：「不要再做無謂事情，你們才是今次的英雄，快把野廟和森林的毒花燒掉！不要再讓壞人**借此作惡**！」

　　四人按命令，一把大火將野廟燒掉。

　　「好了吧！回衙門吧！我們還有更多案要處理！」包公**英明神武**說。

　　四大捕快心悅誠服地大聲回應：「聽命！」

　　說罷，眾人在一片歡欣鼓舞中離開。

然而，森林中仍然煙霧瀰漫，風吹久久未散，
濃煙升上半空，像要籠罩開封——看來，此案只
是開始，未來將會有更多的奇案難題準備繼續考
驗包大人和開封衙門的
一眾捕快……

童謠　點止兒歌咁簡單

　　故事一開始，開封城中流傳一首童謠，孩童琅琅上口唱通街。

　　甚麼是童謠？ 古人說：「童，童子。徒歌曰謠。」就是指傳唱於兒童口中的歌謠或短詩，未必有樂譜，但強調格律和韻腳。也有其他叫法如兒謠、女謠、嬰兒謠、孺子歌等。

　　童謠的歷史相當悠久，有說《周宣王時童謠》是最早的童謠，即近三千年前了！雖說童謠只是兒童之歌，然而古代這些兒歌多數並非講童言童語，而是滲雜了不少荒唐的附會與神秘色彩，具有政治含意，古人相信它能預示世運、國運，甚為重視。比如《史記》中就有記載，周宣王聽到街邊小童唱著「檿弧箕服，實亡周國」，意思是指帶著乘箭袋子的人要造反，結果周宣王就因此馬上把全國賣桑弓、箕箭袋的人捕殺！

包拯真的黑口黑面？

　　包拯在歷史上真有其人，是北宋其中一位最著名的好官，以清廉公正聞名於世，更被後世稱譽為「包青天」。後來，中國民間更傳他為文曲星轉世，將他奉為神明崇拜。

　　相傳他擁有一副鐵面如墨臉孔，鎮懾佞臣，故有「包黑子」、「包黑炭」的稱號，古代小說《七俠五義》就是以包公為主人公。不過翻查史實記載，他的皮膚並非如故事所述般黑如墨斗，殊少笑容，經常面如玄壇倒是事實，寫故佬只是為了塑造他鐵面無私的形象，才將其「黑面化」。亦因為作品流傳甚廣，致使這個形象根深柢固，反而令現在許多人認為黑臉就是他的真實形象了。

不可不識一代的文學——宋詞

　　詞是一種詩歌藝術形式，是音樂文學，亦是中國古代詩體的一種，又稱長短句、曲子詞、詩餘、曲趣等。人們會把樂工或樂者譜出的曲子，配上詞，基本上與現今社會的先作曲後填詞頗為相似。雖然詞早在宋之前已經開始發展，但到真正開花結果大盛卻在宋朝，所以有「宋詞」的美譽。是為「一代的文學」，與「漢賦」、「唐詩」、「元曲」、「明清小說」齊名。

　　宋詞基本分為：婉約派、豪放派兩大派。婉約派主要側重兒女風情，精麗細緻，代表人物有李清照、周邦彥等；而豪放派則擁有較為廣闊的視野，氣象恢弘雄放，多數與人生志向與國家大事有關，名家包括蘇軾、辛棄疾；兩者都反映了宋代人的生活和思想呢。

《浣溪沙》 晏殊

一向年光有限身，

等閒離別易銷魂，

酒筵歌席莫辭頻。

滿目山河空念遠，

落花風雨更傷春。

不如憐取眼前人。

注釋

① 一向：即一晌，頃刻之間。
② 有限身：短暫不長久的人生。
③ 等閒：平常。
④ 銷魂：魂魄飛散，形容人極度悲痛或極度歡樂。
⑤ 念遠：懷思遠別的親友。
⑥ 憐取：憐愛。

解說

　　青青姑娘在勾欄首次出場時，唱了一首宋詞《浣溪沙》（P. 26），這首詞是宋代詞人晏殊的代表作。詞的內容是寫作者感嘆慨嘆人生有限，抒寫離情別緒，道出要及時行樂的思想。

　　上片「一向年光有限身，等閒離別易銷魂，酒筵歌席莫辭頻。」寫生命有限，時間一去不返，容易令人深感悲傷。唯有藉著頻繁的聚會，對酒當歌，及時行樂，才能得到聊慰。

　　下片「滿目山河空念遠，落花風雨更傷春，不如憐取眼前人」則寫與其登山之時放眼遼闊河山加重對遠方親友的思念，或獨處家中看到風雨吹落繁花而令人感傷，倒不如在酒宴上，好好愛憐眼前的曼舞佳人。

　　這首詞作抒寫傷春念遠的情懷，深刻沉著，又能保持一種溫婉的氣象，使詞意不顯得淒厲哀傷，是相當出色的詞作。

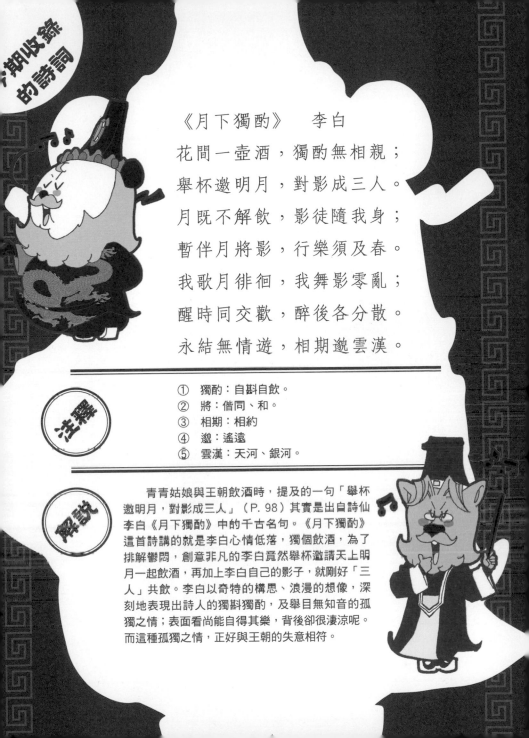

《月下獨酌》　李白

花間一壺酒，獨酌無相親；
舉杯邀明月，對影成三人。
月既不解飲，影徒隨我身；
暫伴月將影，行樂須及春。
我歌月徘徊，我舞影零亂；
醒時同交歡，醉後各分散。
永結無情遊，相期邈雲漢。

注釋

① 獨酌：自斟自飲。
② 將：偕同、和。
③ 相期：相約
④ 邈：遙遠
⑤ 雲漢：天河、銀河。

解說

　　青青姑娘與王朝飲酒時，提及的一句「舉杯邀明月，對影成三人」（P. 98）其實是出自詩仙李白《月下獨酌》中的千古名句。《月下獨酌》這首詩講的就是李白心情低落，獨個飲酒，為了排解鬱悶，創意非凡的李白竟然舉杯邀請天上明月一起飲酒，再加上李白自己的影子，就剛好「三人」共飲。李白以奇特的構思、浪漫的想像，深刻地表現出詩人的獨斟獨酌，及舉目無知音的孤獨之情；表面看尚能自得其樂，背後卻很淒涼呢。而這種孤獨之情，正好與王朝的失意相符。

今期收錄的成語

成語	釋義	頁數
頭昏腦脹	形容人的繁忙或事物毫無頭緒，使人厭煩。	8
日月無光	連太陽和月亮都失去了光彩。比喻極其黑暗。	10
人心惶惶	驚惶不安的樣子。人們心中驚惶不安。	10
民不聊生	人民無法生活下去。形容百姓生活非常困苦。	10
深信不疑	非常相信，沒有一點懷疑。	10
不動聲色	一聲不響，不流露感情。形容人遇事不張揚的冷靜態度。	13
靜若處子，動若脫兔	指軍隊未行動時就像未出嫁的女子那樣沉靜，一行動就像逃脫的兔子那樣敏捷。	13
聲如洪鐘	洪即大。形容說話或歌唱的聲音洪亮，如同敲擊大鐘似的。	13
口耳相傳	口說耳聽地不斷流傳。	18
議論紛紛	意見不一，議論很多。	18
交頭接耳	湊近頭耳，形容低聲私語。	18
浩浩蕩蕩	水勢廣大的樣子。引申事物的廣闊壯大，或前進的人流聲勢浩大。	19
貪贓枉法	貪污受賄，破壞法紀。	20
熙來攘往	人來人往，非常熱鬧擁擠。	21
虎背熊腰	形容人身體魁梧健壯。	23
沉魚落雁	魚、鳥不辨美醜，即使看見美女也同樣趕緊潛水高飛。形容女子容貌美麗出眾。	26

下回預告

影子殺人事件

　　勇破野廟高僧案之後，開封四大捕快得到朝廷賞賜，獲得捕快最高榮譽的令牌。正當開封衙門上下與高采烈慶祝之際，漁火村發生一宗看似普通的劫殺案，但離奇的是，案中疑凶竟然當晚正在與衙門眾人聚在一起！到底一個有不在場證據的人，如何分身殺人？這一切背後究竟藏著甚麼複雜的陰謀詭計呢？

經已出版！

創作繪畫・余遠鍠　　故事文字・何肇康

妙探鬼靈精
Spirit Detectives

余遠鍠繼繪畫《大偵探福爾摩斯》、《神探包青天》後，再次重投推理世界！

作者何肇康大學主修認知科學，對人類行為及人性素有研究，
飽覽推理懸疑著作，為讀者帶來新視野、新衝擊！

密室謎團 ✕ 校園日常

人氣美少女 + 高中女神探 + 古代聰明鬼 = 最鬼怪查案組合！

第1-2期　經已出版！

神探 包青天

Detective Bao

創作 / 繪畫	余遠鍠
故事 / 文字	凌偉駿
創作 / 監製	余 兒
封面設計	faminik
內文設計	siuhung
編輯	小尾
校對	萍
出版	創造館
	CREATION CABIN LTD.
地址	荃灣美環街 1-6 號時貿中心 6 樓 4 室
查詢電話	3158 0918
發行	泛華發行代理有限公司
	香港新界將軍澳工業邨駿昌街七號二樓
印刷	高科技印刷集團有限公司
出版日期	第一版　2016 年 9 月
	第三版　2021 年 8 月
ISBN	978-988-79820-1-2
定價	$68

本故事之所有內容及人物純屬虛構，
如有雷同，實屬巧合。